Frankenstein ne plante pas de pétunias

Dans la même collection :

Les vampires ne portent pas de robe à pois

*Les loups-garous ne vont pas
au camp de vacances*

Les fantômes ne mangent pas de chips

*Les génies ne se
promènent pas à bicyclettes*

Frankenstein ne plante pas de pétunias

Debbie Dadey
et
Marcia Thornton Jones

Texte français de
Jocelyne Henri

Les éditions Scholastic

À Thelma Kuhljuergen Thorton -
*tout le monde devrait avoir une mère aussi formidable que
toi! - MTJ*

*À Lillie Mae Bailey -
la meilleure grand-mère qui soit! - DD*

Données de catalogage avant publication (Canada)

Dadey, Debbie
  Frankenstein ne plante pas de pétunias

Traduction de : Frankenstein doesn't plant petunias

ISBN 0-590-24497-3

I. Jones, Marcia Thornton. II. Titre.

PZ23.D33Fr 1994   j813'.54   C94-932336-5

Édition publiée par Les éditions Scholastic, 123, Newkirk Road, Richmond Hill
(Ontario) Canada L4C 3G5.

7654321   Imprimé aux États-Unis   4567/9

1

La visite organisée

Mélodie tortille une de ses tresses noires et regarde le ciel nuageux par la vitre de l'autobus.

— J'ai hâte d'arriver au Musée des sciences, lance-t-elle.

La classe de troisième année de madame Lefroy de l'école élémentaire Cartier se dirige en autobus vers le Musée des sciences. C'est la dernière visite organisée avant les vacances d'été. Mélodie est assise au milieu de l'autobus avec ses amis Lisa, Paulo et Laurent.

— C'est la visite organisée la plus excitante! s'exclame Laurent.

— Les autres enfants vont à l'Aquarium et nous devons nous contenter d'un vieux musée de sciences, dit Paulo en faisant une moue.

— Les musées de sciences peuvent être très amusants, explique Mélodie à ses amis. J'en ai visité un à Toronto qui était extraordinaire.

— C'est assez incroyable qu'ils ne t'aient pas gardée comme pièce d'exhibition, réplique Paulo en ricanant.

— Si le Musée des sciences tente des expériences sur les garçons je-sais-tout, tu ferais mieux de prendre garde, dit Mélodie en lui tirant la langue.

Les enfants font des bonds sur leur siège quand l'autobus traverse un vieux pont.

— Ma mère m'a dit que le musée avait fermé ses portes après avoir été endommagé par un orage, poursuit Mélodie. C'est la première fois depuis quatorze ans qu'il est ouvert au public. Il est censé y avoir beaucoup de nouveautés, et même une exposition préhistorique.

— Peut-être y a-t-il une exposition de chauves-souris et madame Lefroy pourra y voir ses amis, plaisante Paulo.

— Chut! elle regarde de notre côté, murmure Mélodie.

Les quatre enfants sourient quand madame Lefroy se tourne et regarde dans leur direction. Ses longs cheveux roux sont retenus par un ruban vert. Sa main aux ongles peints en violet frotte doucement sa broche émeraude sur sa robe à pois.

— Je n'ai pas peur de madame Lefroy, se vante Paulo lorsque celle-ci se tourne pour parler au chauffeur d'autobus. Je me moque qu'elle soit la cousine du comte Dracula.

Madame Lefroy est originaire de Transylvanie et semble posséder des pouvoirs spéciaux, surtout lorsqu'elle frotte sa broche. La plupart des élèves de la classe de troisième année de l'école Cartier pensent qu'elle est un vampire.

— J'espère qu'on arrivera bientôt, gémit Lisa. Cet autobus me rend malade.

— Tiens bon! dit Laurent. Je crois que j'aperçois le musée.

— Tout ce que je vois c'est de la poussière, dit Paulo en toussant.

En effet, la poussière envahit l'autobus qui bondit d'un nid de poule à un autre.

Les enfants se couvrent le nez jusqu'à ce que l'autobus s'arrête. Quand la poussière retombe, ils regardent par les fenêtres sales.

— Maintenant je *sais* que madame Lefroy est une chauve-souris, insiste Paulo.

2

Le Musée des sciences

Tout le monde descend de l'autobus et regarde fixement le vieux musée. Il a quatre étages et se dresse sur une colline entourée de chênes imposants. Certains bardeaux manquent sur le toit et des volets brisés claquent au vent. Le bâtiment a besoin d'être entièrement repeint.

— On dirait que ce bâtiment va s'écrouler d'un instant à l'autre, dit Mélodie.

— Je suppose qu'ils n'ont pas réussi à le réparer depuis qu'il a été frappé par la foudre, ajoute Laurent.

— Peut-être que la cervelle du propriétaire a été frite par la foudre, ricane Paulo.

On entend un grondement de tonnerre au loin et des nuages noirs tourbillonnent dans le ciel.

— Très bien, les enfants, dit madame

Lefroy en tapant des mains. Commençons notre visite.

Pendant qu'elle guide la classe en haut des marches en ruines, l'autobus scolaire disparaît sur le chemin de terre.

— Te sens-tu encore malade? demande Mélodie à Lisa. Tu es un peu pâle.

— Cet endroit est très étrange, dit Lisa en serrant sa veste contre elle.

— Comment cela? demande Laurent.

— Je l'ai déjà vu, répond-elle.

— Mais tu n'es jamais venue ici, rétorque Mélodie.

— C'est vrai, murmure Lisa. C'est bien cela qui m'inquiète.

— Tu as peur de ton ombre, dit Paulo en roulant des yeux. Allez, nous devons les rattraper.

Madame Lefroy et le reste de la classe sont rassemblés devant une énorme porte en bois.

— Où est la sonnette? demande Karine.

Madame Lefroy esquisse un singulier demi-sourire.

— C'est un très vieux bâtiment. Nous

devons utiliser le heurtoir, dit-elle tout en levant le marteau et en le laissant retomber avec un bruit sourd.

Pas de réponse.

Les enfants se rassemblent près de la porte.

— Il n'y a peut-être personne à l'intérieur, suggère Lisa.

— C'est absurde, dit madame Lefroy en souriant. Ils nous attendent.

— J'espère qu'ils vont se dépêcher, dit Karine. Il commence à pleuvoir et l'autobus ne sera pas de retour avant plusieurs heures.

À ce moment, la porte s'ouvre lentement dans un grincement.

3

Le docteur Victor et Frank

Un éclair traverse le ciel au moment où madame Lefroy et les élèves aperçoivent un homme gigantesque. Ses longues jambes sortent de son pantalon en loques et une chemise blanche froissée est tendue sur sa poitrine massive. Son visage carré est pâle sous ses cheveux d'un noir de charbon et sa joue est traversée d'une énorme cicatrice violette.

— Il a un pistolet, murmure Laurent à ses amis, en montrant la poche de l'homme là où la crosse de l'arme dépasse.

Les enfants reculent d'un pas sous le regard du mastodonte.

— Bonjour! Je suis madame Lefroy et voici mes élèves de l'école élémentaire Cartier, dit madame Lefroy en tendant la main et en souriant. Nous sommes venus visiter le

musée.

Le géant lève une main énorme et pousse la porte. Une affreuse cicatrice encercle son poignet osseux.

— Hrrmm, grogne-t-il.

Madame Lefroy entre suivie des élèves qui tentent de se tenir le plus loin possible du géant.

— As-tu vu cette face de gaufre? murmure Paulo quand ils sont dans l'entrée.

— Il a plus de cicatrices que je n'ai de taches de rousseur, acquiesce Laurent.

— Il est si grand, souffle Mélodie. Je n'ai jamais vu personne d'aussi gigantesque.

Le géant les conduit le long d'un couloir sombre. Des échantillons sont exposés de chaque côté des pièces. Des tables recouvertes de roches bordent le couloir et de grandes affiches représentant des roches identifiées recouvrent les murs craquelés.

— J'aurais pu rester dans mon allée où j'aurais eu plus de plaisir à jouer avec le gravier, dit Paulo, ennuyé.

— Cesse de te plaindre, Paulo, réplique

Mélodie d'un ton brusque. Tu sais bien que tu préfères être ici plutôt que de faire des mathématiques à l'école.

— Les mathématiques commencent à gagner des points, soupire Paulo en suivant le groupe dans une pièce remplie de momies.

Un petit homme vêtu d'un sarrau blanc les accueille.

— Ce sera tout, Frank, dit-il. Tu as du travail à faire ailleurs dans le musée.

— Hrrmm, grogne Frank en jetant un regard mauvais aux enfants avant de disparaître dans le couloir sombre.

Le petit homme salue les élèves et décoche un regard à chacun d'eux.

— Bienvenus au Musée des sciences. Je suis le docteur Victor, conservateur du musée. Je vois que vous avez déjà rencontré mon assistant, Frank. J'ai bien hâte de vous faire visiter le musée. Je pense que vous serez stupéfaits.

— Je pense que c'est déjà fait, murmure Paulo.

— Que veux-tu dire? demande Laurent.

— C'est invraisemblable qu'une fouine et un géant s'occupent d'un musée!

— C'est plus invraisemblable que tu ne le penses, marmonne Lisa à ses amis pendant que le groupe suit le docteur Victor dans la pièce voisine. Je dois vous dire quelque chose.

— Quel est ton problème? demande Paulo.

— Lisa, tu te conduis d'une manière étrange, ajoute Mélodie. Qu'est-ce qui ne va pas?

— Vous allez rire, commence Lisa.

— Non, nous ne rirons pas, n'est-ce pas Paulo? dit Mélodie en lui jetant un regard mauvais.

— Rien de ce qu'elle dit ne me surprend, répond Paulo en roulant des yeux.

Les trois enfants se rassemblent autour de Lisa.

— Mon frère aîné devait lire un livre pour un travail de français, dit Lisa, doucement. Il me l'a lu pour me faire peur.

— Les compte rendus de livres m'effraient aussi, dit Paulo avec sarcasme.

— Je n'avais pas peur, coupe Lisa. Du moins, pas à ce moment-là, parce que ce n'était pas réel. Mais maintenant, c'est la réalité.

— Quel était le sujet du livre? demande Laurent.

— Il y a longtemps, un jeune scientifique avait entrepris des expériences secrètes. Tard le soir, il visitait discrètement des cimetières pour voler ce dont avait besoin. Puis il travaillait des centaines d'heures à assembler sa création.

Lisa fait une pause. Dehors, le vent siffle et une grosse branche d'arbre frotte à une fenêtre. Les enfants sursautent, puis ils regardent Lisa à nouveau.

— Quelle était la création? demande Laurent.

— C'était un monstre revenu d'outre-tombe.

— C'est dégoûtant, dit Mélodie.

— C'est super, dit Paulo en donnant une tape dans le dos de Lisa.

— Non, ce n'était pas super, réplique Lisa.

Le scientifique avait peur de sa propre création. Il s'est enfui et le monstre a dû se débrouiller tout seul.

— Un monstre peut très bien se débrouiller tout seul, affirme Paulo. C'est ce que je fais tout le temps.

— C'est facile pour toi, ajoute Lisa. Tu n'es qu'à moitié aussi hideux que ne l'était le monstre.

— C'est une question d'opinion, plaisante Mélodie.

— Qu'est-il arrivé au monstre? interrompt Laurent.

— Pendant un certain temps, il a dû errer dans les bois. Il aimait la nature, spécialement les fleurs. Mais quand les gens l'apercevaient, ils étaient si effrayés qu'ils essayaient de le tuer. Il avait une peur mortelle du feu, et les gens le pourchassaient avec des torches. Le monstre n'avait plus le choix. Il devait tuer — ou être tué.

— C'est terrible, s'exclame Mélodie.

— Quel est le nom de cette histoire? demande Laurent.

Lisa regarde ses amis avant de répondre.

— Frankenstein, dit-elle enfin.

— J'ai vu ce film à la télé, dit Paulo. Qu'est-ce que cela a à voir avec ce vieux musée?

— Ce musée ressemble tout à fait à la photo du livre, dit Lisa doucement.

— Alors, où est le monstre? demande Laurent au moment où le tonnerre gronde.

Le visage de Lisa pâlit.

— Nous venons tout juste de le voir. Son nom est Frank.

4

Des bulles, encore des bulles

— Ton cerveau a plus de bulles qu'il n'y en a dans cette pièce, dit Paulo à Lisa lorsqu'ils rejoignent le reste du groupe.

Les élèves sont dans une salle expérimentale remplie de bulles.

— Lisa, tu sautes aux conclusions, lance
Laurent. Cet endroit est super.

Il s'empare d'une baguette et fait une bulle
de la grosseur d'un ballon de basket-ball.

— Il n'y a pas de monstre ici, ricane
Mélodie tout en s'emparant à son tour d'une
baguette. Regarde ma bulle carrée!

— Regarde la tête-en-bulle, dit Paulo en
recouvrant la tête de Lisa d'une énorme bulle.

Lisa crève la bulle et pousse Paulo, qui atterrit sur les mains dans un grand bain d'eau savonneuse.

Mélodie s'éloigne de Paulo.

— Toute cette eau me rappelle que je dois trouver une salle de bains, dit-elle. Tu viens avec moi, Lisa?

— Je ne veux pas y aller, répond Lisa en regardant dans le couloir sombre. Et puis, je fais une bulle étoile.

— Si tu ne viens pas tout de suite, tu vas voir des étoiles, insiste Mélodie.

Le tonnerre gronde quand les filles traversent le couloir obscur. Elles jettent un oeil dans plusieurs pièces remplies de vitrines. Finalement, Mélodie trouve une salle de bains.

— Maintenant, pouvons-nous retrouver notre chemin? demande Lisa.

— Je crois que c'est par ici, suggère Mélodie.

— Je croyais que c'était par là! réplique Lisa en indiquant la direction opposée.

— Non, on va par ici, insiste Mélodie. Je suis certaine.

— Tu te trompes, dit Lisa. Je pourrais jurer que la salle des bulles est de ce côté.

Juste à ce moment, un grand fracas provient de l'endroit indiqué par Lisa.

— Tu as raison, dit Mélodie. C'est sûrement Paulo.

Les deux filles reviennent dans le couloir et ouvrent une lourde porte. À la vue du spectacle devant elles, elles ont un serrement de gorge.

5

Les pétunias

Des projecteurs éclairent une petite serre adjacente au musée. Des pétunias rouges et violets remplissent la serre. Des roses odoriférantes et d'énormes orchidées violettes se mêlent aux pétunias et forment une mer de fleurs brillantes.

Frank domine de sa hauteur les plants colorés. Très doucement, il tasse les feuilles vertes luxuriantes et arrose le terreau avec un vaporisateur à eau.

— Voilà le pistolet de Laurent, ricane Mélodie. Frank doit vraiment aimer les fleurs.

— Le monstre de Frankenstein aimait aussi les fleurs, souffle Lisa.

— Chut! prévient Mélodie. Il t'a entendue!

— Hrrmm, grogne Frank en regardant les filles.

Puis, il fait un mouvement brusque dans

leur direction, le pistolet toujours à la main.

— Sortons d'ici avant qu'il ne nous attrape!

Lisa pousse un cri perçant et se précipite dans le couloir.

— Hrrmm, grogne Frank.

Il se met à leur poursuite. Le plancher tremble à chacun de ses pas.

— Nous allons mourir simplement parce que tu devais aller à la salle de bains, dit Lisa en s'enfuyant.

— Tais-toi et cours plus vite, ordonne Mélodie en tournant un coin.

Plop! Elles rentrent en plein dans Laurent et Paulo.

— Les filles, n'êtes-vous pas un peu en retard pour la course de Formule I? demande Paulo.

— Où étiez-vous? insiste Laurent.

— Ce n'est pas important, hurle Mélodie. Frank nous poursuit. Sauve qui peut!

— Il arrive! crie Lisa.

— Hrrmm. *Hrrmm!*

Les quatre enfants courent pour fuir le

géant jusqu'à ce qu'ils arrivent à un couloir sans issue.

— Que fait-on maintenant? crie Lisa.

— On choisit une porte, dit Paulo en pointant les trois portes closes du couloir. Choisissez-vous la porte numéro un, numéro deux ou numéro trois?

— La porte numéro trois, lance Mélodie.

Les quatre amis entrent rapidement dans la pièce au moment où ils entendent Frank approcher. Lisa se mord la lèvre et Mélodie se croise les doigts. Personne ne respire jusqu'à ce que les grognements de Frank s'affaiblissent.

— Ouf! On l'a échappé belle! soupire Lisa.

— Pourquoi cette haleine de vieux hot-dog vous pourchasse-t-il de toute façon? demande Paulo.

— Je ne sais pas, répond Lisa. Mais avez-vous remarqué où nous sommes?

Les quatre enfants regardent fixement la pièce illuminée. À l'extérieur de la fenêtre, il fait sombre, mais l'intérieur de la pièce brille de tous feux. Des vitrines remplies de vases à bec en verre longent les murs. Du matériel étrange de laboratoire repose sur les comptoirs, et une longue table voisine une fenêtre. Une odeur bizarre remplit la pièce.

— Cela ressemble au laboratoire de mon père, leur dit Laurent.

— J'ai une impression étrange, murmure Lisa au moment où un éclair traverse le ciel.

6

Un ragoût de globes oculaires

— Tu aurais une impression étrange avec la Belle au bois dormant, dit Paulo en riant.

Laurent prend un vase à bec rempli de boue mousseuse.

— Lisa a peut-être raison. Regardez ceci.

— Bravo, j'avais un peu soif, dit Paulo en s'emparant du vase à bec.

— Ne le bois pas, hurle Lisa.

— C'était une plaisanterie, rétorque Paulo d'un ton brusque.

— Cesse de plaisanter et viens ici, interrompt Mélodie.

Elle pointe du doigt une énorme porte métallique.

— Alors quoi? C'est seulement un réfrigérateur de plain-pied. Ils en ont de semblables chez McDonald.

— Pourquoi quelqu'un a-t-il besoin d'un

aussi gros réfrigérateur dans un laboratoire? se demande Laurent tout haut.

— En premier lieu, pourquoi le docteur Victor a-t-il besoin d'un laboratoire? Après tout, nous sommes dans un musée, dit Mélodie. Et pourquoi garde-t-il son réfrigérateur fermé à clé?

— Peut-être qu'il travaille à créer un autre monstre Frankenstein, suggère Lisa, au moment où un éclair zèbre le ciel.

— Lisa, si tu avais un cerveau, tu serais dangereuse, dit Paulo en donnant une tape sur l'énorme porte métallique du réfrigérateur.

— C'est peut-être ce qu'il y a dans ce réfrigérateur, leur dit Mélodie.

— Quoi? demande Laurent.

— Des cerveaux. Et d'autres parties du corps, poursuit Mélodie.

— J'ai déjà entendu parler de sandwiches au cerveau, mais ceci est dégoûtant, dit Laurent.

— Que dirais-tu de sandwiches aux doigts et de ragoût de globes oculaires? dit Paulo en ricanant.

— Je parie que tu as raison, approuve Lisa.

Paulo fait mine de vomir.

— Crois-tu que le docteur Victor mange du ragoût de globes oculaires? dit-il.

— Non, des cerveaux spaghetti, rétorque Lisa. Je crois que le docteur Victor est bel et bien le docteur Victor Frankenstein et qu'il se sert de parties du corps pour créer des monstres.

— J'espère que tu chasseras cette histoire de Frankenstein de *ton* cerveau, dit Paulo en riant.

Personne ne remarque que la porte du laboratoire s'ouvre lentement derrière eux pendant que Paulo rit. Le tonnerre fait trembler les murs du vieux musée et les lumières s'éteignent tout à coup.

7

Un passe-temps

— Aahhh! crie Lisa en s'agrippant au bras de Paulo. Que se passe-t-il?

Paulo repousse le bras de Lisa.

— L'orage a fait sauter les fusibles. Ce n'est pas une raison pour me vider de mon sang.

— Nous ne retrouverons jamais notre chemin dans le noir, gémit Mélodie.

Le laboratoire est si sombre que les quatre enfants ne peuvent voir leurs mains devant eux.

— Avez-vous entendu cela? hurle Lisa. On dirait des jointures de doigts qui craquent!

— Ce sont sûrement les doigts entreposés dans le réfrigérateur qui font de l'exercice, ricane Paulo.

— Il n'y a rien de drôle dans le fait que des monstres vivent près de Ville-Cartier.

Lisa aimerait bien donner un coup de pied à la jambe de Paulo, mais elle ne peut s'y retrouver dans l'obscurité.

— En parlant de monstres, dit une voix derrière eux, que font les monstres de troisième année dans mon laboratoire?

— C'est le docteur Victor, souffle Mélodie.

Le docteur Victor allume sa lampe de poche. Le faible faisceau lumineux rayonne sur son visage, rendant ses yeux semblables à deux trous noirs.

— On ne vous enseigne donc pas à lire à l'école élémentaire Cartier, dit le docteur Victor en dirigeant sa lampe de poche sur la porte ouverte du laboratoire.

Les enfants lisent en grosses lettres rouges PRIVÉ — N'ENTREZ PAS.

— Nous n'avons pas vu l'inscription, s'excuse Mélodie.

— Nous sommes d-d-désolés, bégaie Laurent. Nous nous s-s-sommes perdus.

Le docteur Victor fait craquer ses jointures de doigts.

— Il est plus prudent de rester avec votre enseignante.

— Pourquoi? laisse échapper Paulo.

Le docteur Victor sourit. Ses dents brillent dans le faisceau lumineux.

— Vous pourriez facilement vous perdre dans ces couloirs pendant des heures. Ce serait très malheureux.

— Surtout avec un monstre qui rôde dans les ténèbres, marmonne Lisa.

Le docteur Victor lui jette un regard mauvais avant de poursuivre.

— Madame Lefroy est très inquiète. Si vous voulez me suivre, je vous guiderai jusqu'à elle et nous allons mettre un terme à cet incident regrettable.

— Nous vous en serions très reconnaissants, ajoute Laurent.

— Et je vous serais reconnaissant de chasser ce laboratoire de votre esprit, dit le docteur Victor en les devançant dans le couloir. Il y longtemps que mon passe-temps consiste à bricoler dans un laboratoire et j'aimerais qu'il reste privé.

— Nous comprenons, lui dit Mélodie. Tout le monde a des passe-temps. J'aime bien collectionner les timbres.

— Mais il y a peu de gens qui collectionne les monstres, marmonne Lisa pour elle-même tout en suivant le docteur Victor le long du couloir obscur.

8

Des os gigantesques

— Votre comportement me déçoit, dit madame Lefroy aux quatre enfants.

Le docteur Victor les a conduits à l'exposition de dinosaures. Les autres élèves sont assis sur des bancs à côté d'énormes répliques d'un *tyrannosaurus rex* et d'un *apatosaurus*. Madame Lefroy et quelques enfants sont munis de lampes de poche.

— Je suis désolée, explique Mélodie. Je devais aller à la salle de bains.

— Et nous nous sommes perdues, ajoute Lisa.

Madame Lefroy frotte sa broche et les regarde de ses yeux verts perçants.

— Que cela ne se reproduise plus. En ce qui concerne la suite de notre visite organisée, nous devrons attendre que l'éclairage soit rétabli.

— Ce ne sera pas nécessaire, dit le docteur Victor. Ce qu'il y a de charmant avec les vieux bâtiments, c'est qu'il y a toujours un tas de chandelles à portée de la main.

Il tient un énorme candélabre aux bougies allumées. La lumière du candélabre jette des ombres sinistres derrière les squelettes grandeur nature des dinosaures.

— Vous pouvez explorer comme bon vous semble, dit le docteur Victor en souriant.

— Hourra! s'écrie Paulo en s'emparant d'un os de dinosaure en plastique de la grosseur d'un balai. Si j'avais des os de cette grosseur, personne ne m'embêterait.

— C'est bien vrai, lui dit le docteur Victor. J'ai toujours cru qu'une race d'humains de plus grande taille contribuerait à rendre le monde meilleur.

Il place un candélabre à côté de la table d'os.

— Maintenant, je dois allumer d'autres chandelles, dit-il en disparaissant derrière un groupe d'élèves.

— Avez-vous entendu cela? hurle Lisa. Il

veut que tous les êtres humains soient plus gros ... tout comme Frank.

— Il essaie peut-être de créer une race d'humains plus gros, dit Laurent.

— Frank n'est pas un monstre, dit Paulo en riant. C'est un gigantesque assistant de musée. Le fait qu'il soit grand ne veut pas dire que c'est une création chimique du docteur Victor revenue d'outre-tombe. Si c'était le cas, les joueurs de basket-ball seraient des monstres, eux aussi.

— Ce n'est pas parce qu'il est grand, leur dit Lisa. N'avez-vous pas remarqué ses cicatrices?

— Et Frank aime les fleurs, ajoute Mélodie, tout comme le monstre de Frankenstein.

— Vous êtes cinglées, dit Paulo en riant. J'ai vu le film et je suis certain d'une chose. Frankenstein ne plante pas de pétunias. Frank n'est pas plus le monstre de Frankenstein que je ne le suis.

— Mademoiselle Vicki n'est peut-être pas d'accord avec toi, ricane Mélodie.

Mademoiselle Vicki est l'enseignante qui a démissionné seulement trois semaines après avoir enseigné à Paulo.

— Très drôle, dit Paulo avec un petit sourire affecté. Je sais que Frank n'est pas un monstre et je peux le prouver.

— Comment? demande Lisa.

Mais Paulo n'a pas le temps de répondre.

9

Je ne suis pas un homme

— *Hrrmm!*

Frank est près de la porte de la salle des dinosaures et fixe le candélabre.

— HRRMM! mugit-il encore.

Il recule sur le squelette du *stegosaurus*. Les os du squelette s'entrechoquent violemment et tombent par terre. Frank

s'enfuit vers la sortie de la pièce.

— C'est le candélabre, murmure Mélodie. Il a peur du feu.

— Tout comme le monstre de Frankenstein, insiste Lisa.

Le docteur Victor accourt dans la pièce et installe deux autres candélabres sur la table. Puis il repousse du pied les os du *stegosaurus*.

— Veuillez excuser le comportement de mon assistant, dit-il. Il ne se sent pas très bien.

— Il n'y a pas de quoi, dit madame Lefroy en esquissant son singulier demi-sourire.

— Continuez votre exploration des dinosaures, dit le docteur Victor. Je m'occupe de trouver d'autres chandelles.

— C'est tout à fait le comportement d'un monstre de détruire un squelette entier, murmure Lisa à ses amis au moment où le docteur Victor quitte la pièce.

— Je te le répète, dit Paulo d'un ton furieux, Frank n'est pas un monstre.

— Comment peux-tu le prouver? demande Lisa.

— Il doit y avoir un moyen, dit Paulo en

haussant les épaules. Je peux lui demander. «Oh, à propos, Frank, êtes-vous un monstre de Frankenstein?»

— C'est ça. Un grognement signifie oui et deux grognements veulent dire non, ricane Mélodie.

— Chut! siffle Laurent. Avez-vous entendu cela?

Les quatre enfants écoutent. À l'extérieur du musée, la pluie continue de marteler les fenêtres et le vent mugit autour du vieux bâtiment.

— Tout ce que j'entends, c'est la tempête, dit Mélodie.

— C'est toute une tempête, approuve Laurent.

— J'espère que l'autobus pourra revenir nous chercher, dit Lisa en frissonnant. Je détesterais être coincée ici.

Crash!

— Et maintenant, vous avez entendu? demande Laurent.

Les enfants interrompent leur exploration pour tendre l'oreille. CRASH!

CRASH! CRASH!

— On dirait que le bâtiment est en train de s'écrouler, dit Laurent.

— Peut-être que Frank est devenu fou et qu'il est en train de tout détruire dans le musée, dit Lisa d'une voix tremblante. Tout comme il l'a fait avec ce pauvre squelette.

— À propos, où est le docteur Victor? demande Mélodie. Après tout, c'est *son* musée.

Madame Lefroy parle calmement aux enfants.

— Le bruit vient de là, dit-elle en pointant vers le fond du couloir. Restez ici. Je vais aller voir.

Madame Lefroy marche lentement le long du couloir sombre en direction des sons horribles. Sa petite lampe de poche vacille dans les ténèbres.

— On ne peut pas la laisser aller seule, leur dit Mélodie.

— Pourquoi pas? demande Paulo. Si c'est réellement un vampire, rien ne peut lui arriver. Nous, de notre côté, risquons d'être tués très facilement.

— Paulo, pour une fois dans ta vie, sois un homme et aide-nous, réplique Mélodie.

Elle s'empare d'un candélabre sur la table.

— Au cas où tu n'aurais pas remarqué, je mesure seulement un mètre vingt-huit et je suis en troisième année. Je ne suis pas un homme.

— Je croyais que tu voulais prouver que Frank n'est pas un monstre, dit Mélodie.

— Je le veux, rétorque Paulo, au moment même où un grand fracas provient du couloir. Mais madame Lefroy nous a dit de rester ici.

— Depuis quand fais-tu ce que madame Lefroy te dit? demande Mélodie.

— Je vais aller avec toi, dit bravement Laurent en redressant les épaules.

— Moi aussi, dit Lisa dans un petit cri.

Paulo saisit une lampe de poche des mains d'un des élèves.

— Très bien, j'y vais. Mais je crois que vous devez apprendre à survivre par vous-mêmes.

Paulo les mène au bout du corridor obscur.

Lisa marche derrière Mélodie en s'agrippant solidement à son bras.

CRASH!

— Le bruit vient de derrière cette porte, dit Mélodie.

— Dans ce cas, ouvre-la, dit Paulo.

— Très bien, poule mouillée, je vais l'ouvrir, dit Mélodie.

Elle tend la main lentement pour tourner la poignée de la porte.

CRASH!

Les quatre enfants sursautent et s'éloignent de la porte.

— Peut-être devrions-nous laisser madame

Lefroy s'en occuper, dit Lisa.

Après tout, c'est elle l'enseignante.

— Ne te dégonfle pas maintenant, dit Mélodie.

Elle inspire profondément et ouvre rapidement la porte.

— Oh, nom d'un chien! crie Lisa. C'est la fin du monde!

10

La serre

— Ressaisis-toi, dit Paulo. Ce n'est qu'une tempête.

Le vent contourne les quatre enfants à toute allure pendant qu'ils regardent fixement l'intérieur de la serre. Une section complète du mur a été arrachée, et la pluie ruisselle sur le plancher de tuiles. De grosses plantes sont éparpillées un peu partout.

Lisa crie et pointe vers le coin le plus éloigné où madame Lefroy est étendue.

— Elle est blessée.

Avant que ses amis puissent l'arrêter, Lisa se précipite dans la serre en ruines. Des grêlons gros comme des citrons bombardent les murs et le toit de verre. Lisa s'agenouille à côté de madame Lefroy et lui tapote la main.

— Réveillez-vous, madame Lefroy, lui dit-elle.

— Nous ferions mieux de l'aider avant qu'elle ne soit pulvérisée par la grêle, dit Mélodie.

— Je pense que quelqu'un d'autre va les pulvériser toutes les deux, réplique Paulo.

Frank s'avance par la porte arrière de la serre. Il se dresse de manière imposante au-dessus de Lisa et de madame Lefroy. Puis il regarde alentour et se met à grogner.

— Hrrmm. Hrrmm.

— Il va tuer Lisa et madame Lefroy, crie Laurent par-dessus le rugissement de la pluie. Elles sont coincées comme des mouches dans une plante carnivore!

— *Hrrmm!* grogne Frank en regardant les enfants.

Il fait un pas dans leur direction, mais une énorme rafale de vent arrache la porte de ses gonds, emportant avec elle une partie du mur de la serre. Frank crie et se couvre le visage pour éviter les pots de pétunias qui volent de tous côtés.

— *Hrrmm!*

Il se jette par terre et rampe vers ses

plantes. La pluie déchire sa chemise blanche et le vent lui arrache une plante des mains. Il se débat pour attraper d'autres pétunias qui volent en tous sens.

— Il essaie de sauver ses plantes, dit Mélodie.

— Pauvre Frank, crie Lisa. Il est en train de perdre ses belles fleurs.

— Tu dérailles, dit Paulo.

Tout à coup, une partie du toit de la serre se met à grincer et à craquer. Frank lève la tête au moment où il commence à tomber sur Lisa et madame Lefroy.

— Cela va les tuer! crie Laurent.

Mais avant que le toit ne s'effondre, Frank fait un mouvement brusque en avant.

11

Des espoirs ruinés

Frank se jette par-dessus Lisa et madame Lefroy et ils disparaissent tous sous une pile de poutres en bois.

— Je ne le crois pas! crie Paulo. Frank a tenté de leur sauver la vie.

— Sont-ils vivants? murmure Mélodie en tentant d'enjamber avec ses amis le toit fracassé et les plantes écrasées.

Lorsqu'ils trouvent Lisa et madame Lefroy, Frank est appuyé au mur.

Lisa sourit au géant tout en aidant madame Lefroy à s'asseoir.

— Merci de nous avoir sauvées. Maintenant, nous allons vous aider à sauver vos pétunias.

Avant que ses amis puissent l'arrêter, Lisa court après un pétunia violet.

La pluie se change lentement en bruine, au

moment où Lisa et ses amis aident à rassembler les plantes éparpillées. Ils viennent tout juste de remplir une table de gros pétunias rouges lorsque le docteur Victor accourt dans la serre.

— Qu'avez-vous fait encore, petits monstres? crie-t-il.

Madame Lefroy touche sa broche calmement.

— Les enfants aident Frank à nettoyer les dégâts de la tempête, dit-elle.

Les élèves de troisième année de l'école élémentaire Cartier ne sont *pas* des monstres.

— Pardonnez-moi, s'excuse le docteur Victor en faisant craquer ses jointures. C'est aimable à vous de lui venir en aide. Frank adore ses fleurs.

Le docteur Victor ramasse un pot et examine les grosses fleurs. Il jette un regard autour de la serre et le pétunia lui tombe des mains et s'écrase au sol. Il repousse du pied plusieurs autres plantes et se met à courir du côté de la serre qui a été détruit.

— Non, Frank, crie-t-il. S'il te plaît,

dis-moi que tu n'as pas fait cela.

Il ramasse une bouteille avec une grande étiquette rouge. Sur l'étiquette, on lit FORMULE GROS. Il tient la bouteille à l'envers. Une goutte de liquide vert en sort.

— Frank, pourquoi as-tu apporté ma formule dans cette pièce? dit le docteur Victor d'une voix tremblante. Quatorze années de travail ruinées. Ruinées!

Il se prend la tête à deux mains et glisse par terre, en pleurant.

Madame Lefroy fait sortir les enfants sans bruit de la serre.

— Je crois que le docteur Victor a besoin d'être seul, dit-elle doucement.

Lisa jette un dernier coup d'oeil à la serre avant d'entrer dans le musée. Des pots brisés, du verre et des fleurs éparses recouvrent encore le plancher. Avec les derniers grains de pluie, le soleil éclaire Frank qui berce le docteur Victor dans ses bras. Frank grogne et le docteur Victor pleure.

— Ruinés, Frank. Mes espoirs pour toi sont ruinés.

12

Au revoir — pour le moment!

Madame Lefroy et les enfants descendent les marches mouillées du musée et se dirigent vers l'autobus scolaire. Le soleil perce les nuages par endroits. Frank fait son apparition à la porte du musée, les bras pleins d'énormes pétunias rouges. Il descend les marches et se dirige vers les enfants.

— Hrrmm.

— Je pense qu'il veut nous donner les plantes, dit Lisa en prenant un pot des mains de Frank.

Chacun de ses amis en prend un aussi.

— Ces fleurs sont magnifiques, dit Mélodie.

— Ce sont les plus belles que j'ai jamais vues, approuve Laurent. Et les plus grosses.

— Cette formule doit être excellente, marmonne Paulo.

— Merci, Frank, dit Lisa doucement. Pour les fleurs — et pour m'avoir sauvé la vie.

Frank rougit et fixe le sol pendant que les enfants montent dans l'autobus.

— Tu n'as jamais prouvé que Frank n'est pas un monstre, dit Lisa à Paulo lorsque l'autobus démarre.

— Frank ne peut pas être un monstre, dit Mélodie.

— Pourquoi pas? demande Laurent.

— Parce que Ville-Cartier possède déjà son monstre, ricane Mélodie.

— C'est vrai? demande Laurent.

— Oui, lui répond Mélodie. Et son nom est Paulo!

Table des matières